LOS DOS VERDADEROS NIÑOS DE KAR...

Un libro de carácter de Doj...

sobre cómo combatir a la deshonestic...

por Jenifer Tull-Gauger

YOUTH LITERARY LEAGUE

Youth Literary League

www.JeniferTullGauger.com

LAS PALABRAS DE KARATE
EN ESTE CUENTO
(Y SU PRONUNCIACIÓN)

dojo \ do-llo \: un lugar para estudiar las artes marciales japonesas como el karate.

Dojo Kun \ do-llo cun \: el credo o juramento del dojo. Las reglas más importantes del karate tradicional creado por Shungo Sakugawa, un gran maestro de karate de Okinawa.

hai \ ˈjai \: significa "sí" en japonés.

karate \ ka-ra-te \: significa "mano vacía" en japonés. Es el nombre dado a las artes marciales desarrolladas en Okinawa (la antes llamado reino Ryukyu).

kiai \ ˈki-ay \: un grito corto que haga entre los movimientos de karate. "Kiai" quiere decir "juntar energía" en japonés.

Renshi \ ren-shi \: significa "instructor pulido" en japonés. Un título especial para los instructores que tienen el cinturón negro de alto rango.

sparring \ ˈspa-riŋ \: un combate controlada en la seguridad del maestro entre dos o más participantes donde se pueden practicar las técnicas.

CARÁCTERES DEL LIBRO

Michi \ mi-chi \: significa "el buen camino" en japonés. También es un nombre.

Makoto \ ma-co-to \: significa "la verdad" en japonés. También es un nombre.

Inu \ ˈi-nu \: significa "perro" en japonés.

Deshonestidad \: no es honesto. El rasgo de siendo falso. Tú están usando la deshonestidad si dices una mentira.

Mamá dijo, "Makoto, ¿ya terminaste la tarea? Michi ya viene pronto."

"Sí, ya lo terminé," él dijo, "esperaré atrás."

Más tarde, ellos escucharon un perro. "¡Yo quiero un perro!" Michi exclamó.

"Yo también," dijo Makoto. "Pero mi papa es alérgico."

Michi dijo, "Puedo tener un perro, si muestro responsabilidad."

"¡Que suerte tienes!" él dijo.

"Puedes jugar con el mío," dijo Michi.

"Eso no es lo mismo que tener mi propio perro," dijo Makoto.

"Tienes razón," acordado Michi. Ella
quería ser una buena amiga.

Deshonestidad ha ido apoderándose
de ella.

"Si no puedes tener un perro,
tampoco puedo yo," dijo Michi

"No, no de veras," dijo Makoto.

Después de unas semanas, Michi tuvo tanta prisa entrar el **dojo**, "¿Sabes qué? ¡Tengo un perro! Lo escogí en la perrera."

"Que suerte," Makoto frunció el ceño.

DOJO KUN

1. Esforzar por un buen carácter moral.

2. Mantener una manera honesta y sincera.

3. Perseverar con la constancia.

4. Desarrollar una actitud de respeto.

5. Usar la autodisciplina con las habilidades físicas.

En clase, **Renshi**, la instructora principal, les juntó para **sparring**.

Makoto siempre sonreía cuando Michi era su pareja de **karate**. Makoto no sonrió ese día.

Después de clase, sus papás fijaron una cita para jugar en la casa de Michi.

El papá de Michi dijo, "Conocerás a Inu; es nuestro perro nuevo."

"Papá, ¿Yo puedo tener un perro? Lo mantendría afuera."

"No, lo siento Makoto. ¡Los perros me hacen estornudar muchísimo!"

La próxima semana, Makoto conoció a Inu.

"Qué lindo," dijo Makoto, "Quisiera tener un perro."

Michi pidió, "¿Quieres practicar karate?"

"Sí," dijo Makoto.

El papá de Michi dijo, "En el patio, no golpeen uno a otro."

Afuera, Makoto hizo pucheros, "Tienes tanta suerte que puedes tener un perro."

"No es tan bueno tener un perro," Michi mentió con Deshonestidad, "siempre pide atención."

"Él es un perro bueno," dijo Makoto.

"No," dijo Michi con Deshonestidad cada vez más grande, "Él me derriba. Es un perro malo."

"Quizás sin querer," dijo Makoto.

"Él babea," dije Michi, "y tengo que recoger el popó."

"Pues, tienes suerte tener un perro," dijo Makoto.

"No, estuviera mejor si no lo tenía," mintió Michi con la Deshonestidad.

Ellos practicaron karate y cuando Michi gritó su **kiai**, Inu saltó sobre ella.

Ella le hechó diciendo, "Perro malo."

"Tengo que irme a la casa," dijo Makoto.

"Pensaba que ibas a cenar conmigo," Michi dijo.

"Me olvidó que tengo cosas para hacer," él mintió así con Deshonestidad.

"Ibas ayudarme entrenar a Inu," Michi dijo.

"Tengo que llamar a mi mamá," dijo Makoto.

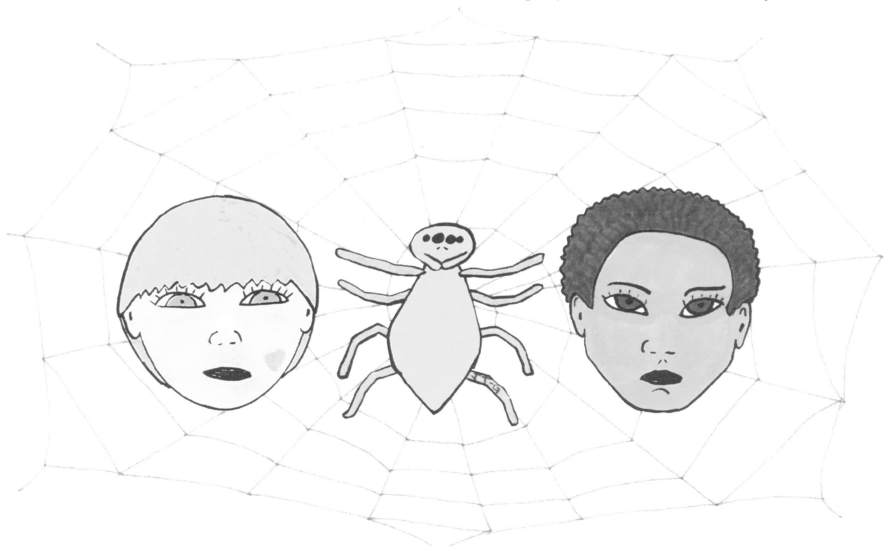

Después de susurrar por el teléfono, Makoto dijo, "Viene mi mamá."

"Ok, bueno," dijo Michi.

Pero no estuvo bien. Después que Makoto se fue, Michi lloraba, abrazando a Inu. "Lo siento por ser cruel. Perdón por portarme así. Portaba así porque no quiero perder a mi mejor amigo. No sé qué hacer. ¿Me perdonas, perrito?"

La próxima semana, los parientes de Makoto dijeron que él iba a la casa de Michi después de karate.

"¿Tengo que?" Makoto quejó.

"¿No es Michi tu mejor amiga?" preguntó Papá.

"Sí, era, pero se hizo mala," Makoto dijo.

"No podemos cambiar nuestros planes," Mamá explicó. "La próxima vez, te pidamos primero."

En su casa, Deshonestidad estaba con Michi y ella volvió a ser mala con Inu.

Makoto quería irse.

Ese fin de semana, en el dojo, Renshi juntó a Makoto y Michi.

Makoto puso los ojos en blanco.

Renshi susurró, "¿Qué pasó? Yo pensaba que eran amigos."

Michi comenzó a llorar.

Despues del minuto, Makoto dijo, "Ahora ella es cruel."

Michi soltó, "¡Él fue malo primero!"

Renshi preguntó, "¿De qué está todo esto?"

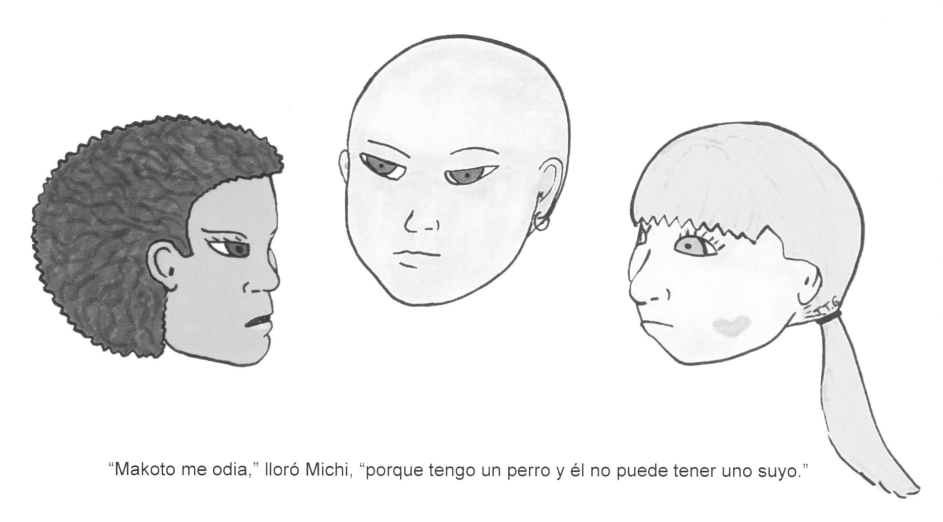

"Makoto me odia," lloró Michi, "porque tengo un perro y él no puede tener uno suyo."

Makoto dijo, "No, no te odio. Pero, ¿porque estás tan cruel con Inu? Tienes suerte tener un perro y no te importa."

"La única razón que yo estaba cruel fue por tu presencia," dijo Michi, "para hacerte sentir mejor. Quiero mucho a Inu. Pero no quería que te sintieras mal, así que me portaba así."

Renshi dijo, "Me parece que están atrapados en una telaraña por Deshonestidad. ¿Quizás apartados del grupo y hablen entre ustedes?"

"No te odio," dijo Makoto. "Al principio tenía celos que tienes un perro: pero lo superé. Y ahora lo siento por Inu. ¿De verdad cuidas a él?"

"Sí, es cierto," dijo Michi, "Lo quiero. ¿Cómo rompemos esta telaraña de Deshonestidad?"

"Quizás usamos el Dojo Kun," Makoto sugirió. "Eso me ayudó antes."

"¡Sí! ¿Pero cómo?" Michi preguntó.

"Pues," dijo Makoto, "podemos hacer lo correcto incluso si se puede enojar alguien."

"Sí," Michi dijo, "y siempre podemos decir la verdad."

"Sí," acordado Makoto, "y nunca darnos por vencido siendo amigos."

Michi dijo, "y respetamos entre los dos y con Inu."

"Y ser gentil con él," Makoto agregó, "incluso si salta."

Michi preguntó, "¿Quieres venir a mi casa después de karate?"

"Sí," dijo Makoto.

"¿Seguro?" ella preguntó.

"¡**Hai**!" Makoto dijo sí, en japonés.

Michi sabía que fue sincero Makoto.

Después, en casa de Michi, vieron la TV.

"No me gusta que te acuestes sobre Inu," dijo Michi, "Creo que estas bien pesado."

Makoto se frunció el ceño.

Pero se levantó y dijo, "Gracias por ser honesta."

"De nada," dijo Michi, "Gracias por ser mi amigo."

"Claro que sí, somos amigos," dijo Makoto, "los mejores amigos."

Y así eran.

A veces Deshonestidad regresó como prueba para Makoto y Michi.

Pero recordaron el plan y usaron el Dojo Kun para derrotar a la Deshonestidad.

Y eso les ayudó ser amigos más buenos que antes.

DOJO KUN

1. Esforzar por un buen carácter moral.

2. Mantener una manera honesta y sincera.

3. Perseverar con la constancia.

4. Desarrollar una actitud de respeto.

5. Usar la autodisciplina con las habilidades físicas.

DOJO KUN traducciones
literales del japonés original

1. Es importante trabajar siempre en ser una buena persona.

2. Es importante mantenerse en el camino de la verdad.

3. Es importante usar perseverancia, paso a paso.

4. Es importante tomar en serio las tradiciones del respeto.

5. Es importante tener cuidado con el fuego de la impetuosidad que puede arder dentro de ti.

¡Gracias por leer este libro! En el próximo libro de carácter de Dojo Kun, ambos Makoto y Michi luchan con dejar.

Ingram Content Group UK Ltd.
Milton Keynes UK
UKRC032229170323
418738UK00001B/5